sur les épaules
des savants

Qui sont nos ancêtres ?
Grands singes, homme,
ce qu'on ne sait pas encore...

Anna Alter avec Brigitte Senut
illustré par Caroline Hüe

Le singe

L'homme

Éditions
Le Pommier

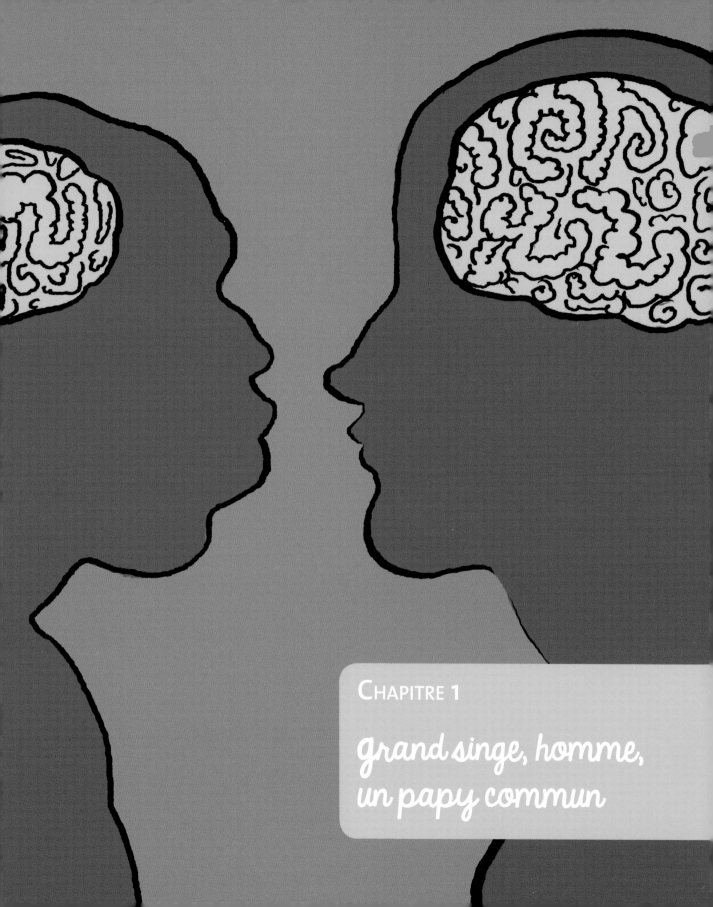

CHAPITRE **1**

grand singe, homme,
un papy commun

Avec Les chimpanzés nous sommes cousins

Quelle tête avait notre ancêtre commun ?

Où, quand, comment est-on devenu humain ?

Crânes, dents, squelette et des pas dans Le sol imprimés,

Sont Les seules traces de nos ancêtres du Lointain passé.

Les paléontologues font des pieds et des mains

Pour trouver des fossiles avec des indices sur Le terrain.

ILs ont beaucoup de nouvelles idées et de discussions

Sur Les grandes étapes de notre évolution.

contrairement à ce qu'on voit dans Les Livres d'images,

Le singe ne s'est pas redressé progressivement pour devenir « sage »

L'*homo sapiens*, "homme savant", ne s'est pas fait en un jour...

Et de sa très Longue histoire on est Loin d'avoir fait Le tour.

Avec Les chimpanzés nous sommes cousins, nous avons des ancêtres communs, ça crée forcément des liens ! Mais, pour des raisons qu'on ne connaît pas bien, chimpanzés et humains ont divorcé il y a plusieurs millions d'années et nous avons évolué chacun de notre côté.

Quelle tête avait notre ancêtre commun ?

On l'ignore ! Mais ce qui est sûr, c'est qu'il ne ressemblait
ni à l'homme ni au chimpanzé, parce que les singes,
tout comme les hommes, n'ont pas arrêté d'évoluer.

Où, quand, comment est-on devenu humain ?

À quel moment s'est-on séparé des singes pour suivre notre propre
chemin ? Des spécialistes de différentes disciplines travaillent main
dans la main pour résoudre le mystère de nos origines.

Crânes, dents, squelettes et des pas dans le sol imprimés

sont analysés à la loupe par les paléontologues, comme on appelle
les scientifiques qui les étudient. Ces chercheurs d'os ont trouvé
des fossiles en Éthiopie, un pays d'Afrique de l'Est. C'est là qu'ils ont
déterré la célèbre Lucy, un petit bout de bonne femme dont ils ont
retrouvé cinquante-deux morceaux.

Des restes fossilisés **sont les seules traces
de nos ancêtres,** parfois elles sont visibles en surface,
parfois il faut beaucoup creuser pour les trouver. Bonne pioche, avec
la découverte de Lucy ! Cette fois les chercheurs d'os ont ramassé une
grande partie de la mâchoire avec des dents, cinq morceaux de crâne,
une bonne portion du bassin, des fragments des jambes, des os des bras,
des côtes cassées, quelques vertèbres, et ils ont pu dater le tout.

Les paléontologues font des pieds et des mains pour savoir comment vivait cette jeune personne de 3,2 millions d'années, mesurant 1,05 mètre. Ils ont d'abord cru que la femelle, pas plus haute que trois pommes, était notre plus vieille grand-mère. Mais, après avoir recomposé son squelette et son histoire, ils ont reconnu que cette Australopithèque n'était qu'une très lointaine parente. Lucy pouvait rester longtemps debout et elle marchait sur ses deux jambes comme nous, mais elle s'accrochait encore aux branches et passait une grande partie de ses journées dans les arbres. Les experts devaient absolument trouver d'autres spécimens.

Pour trouver des fossiles avec des indices sur le terrain, les paléontologues multiplient les expéditions en Afrique. Au Kenya, ils découvrent en l'an 2000 un vieux paquet d'os qui a presque le double de l'âge de Lucy. *Orrorin tugenensis*, pas facile à porter comme nom, est connu par une vingtaine de fragments ! Il a six millions d'années et pendant deux ans il a été le plus vieux bipède de tous les temps. Mais bientôt d'autres découvertes viennent compléter cette famille de marcheurs, *Ardipithèque* et *Sahelanthrope* en tête. Mais ces petits nouveaux sont-ils des vrais ancêtres ? Les paléontologues s'interrogent.

Ils ont beaucoup de nouvelles idées et de discussions.

Jusqu'à la découverte de Toumaï, le premier *Sahelanthrope* déterré au Tchad en 2001, Yves Coppens, célèbre professeur, assurait que l'homme était apparu en Afrique de l'Est, à la suite de l'ouverture d'une grande faille dans le sol qui a entraîné un changement de climat. À l'ouest rien, la forêt reste la forêt. Mais à l'est, les grands arbres et nos ancêtres disparaissent peu à peu et sont remplacés par de la savane. Nos ancêtres sont obligés de bouleverser leurs habitudes.

Sur les grandes étapes de notre évolution,

il reste encore de nombreuses questions...

contrairement à ce qu'on voit dans les livres d'images,

papy singe ne s'est pas mis lentement debout. Il n'est pas devenu un homme préhistorique de moins en moins poilu et voûté, puis droit comme un piquet, le torse bombé et tout nu, avec juste des cheveux sur la tête, avec du poil sur les gambettes et au menton pour les garçons ! Faux, archi-faux.

TOUMAÏ

TCHAD

ÉTHIOPIE

KENYA

LUCY

ORRORIN

Le singe ne s'est pas redressé progressivement pour devenir « Sage »,

« *sapiens* » en latin. Non seulement, on ne connaît ni la tête ni l'allure de l'ancêtre commun qui grimpait aux arbres, mais en plus il n'a pas forcément emprunté le chemin le plus court...

**L'Homo sapiens, « l'homme savant »,
ne s'est pas fait en un jour** et son évolution n'a pas été simple...

**Et de sa très longue histoire on est loin
d'avoir fait le tour,** il reste encore beaucoup de
choses à découvrir, comme tu vas le voir dans ce livre...

Brigitte Sénut est une des rares femmes qui travaillent
sur l'origine de l'homme, c'est-à-dire
la naissance du genre humain, masculin
ou féminin, et elle se bat contre les
inégalités entre les filles et les garçons dans les sciences, d'abord en classe
puis, plus tard, dans le domaine de la recherche. Elle est même allée
déterrer des vieux fossiles, elle a creusé le sol de ses mains
et elle a rapporté des paquets d'os qui ont servi à reconstruire en partie
l'histoire de notre espèce. La planète des grands singes, elle connaît aussi.
Depuis 35 ans, elle se passionne pour l'évolution des hommes
et des singes, une épopée dont plusieurs chapitres restent à écrire.
Dans ce livre, la paléontologue voyageuse va te conduire jusqu'aux
frontières de nos connaissances, en te taillant un chemin dans la jungle
de nos ancêtres.
Elle est professeure pour adultes au Muséum d'histoire naturelle,
mais elle adore partager son savoir avec les enfants.
Qui sait, quand tu seras grand, tu voudras peut-être aussi chercher
des fossiles à l'autre bout du monde et, si tout va bien, tu réussiras
à combler des petits trous de notre histoire ?
À toi de jouer.

CHAPITRE 2

Lucy et ses copains, des cousins de l'est ?

Les chercheurs d'os ont Longtemps cru
Que Les premiers hommes étaient apparus
Suite à des bouleversements climatiques,
Quelque part dans l'est de l'Afrique.
Mais ce n'est pas parce que notre grand-tante Lucy
Marchait La tête haute sous Le beau soleil d'Éthiopie
Que nos ancêtres directs sont nés Là-bas,
Là où ses semblables ont fait Leurs premiers pas.
Alors où L'homme est-il né ?
La question est à nouveau posée…

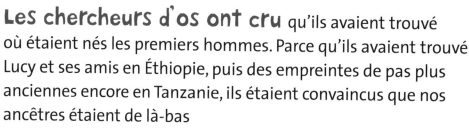

Les chercheurs d'os ont cru qu'ils avaient trouvé où étaient nés les premiers hommes. Parce qu'ils avaient trouvé Lucy et ses amis en Éthiopie, puis des empreintes de pas plus anciennes encore en Tanzanie, ils étaient convaincus que nos ancêtres étaient de là-bas

On pensait **que Les premiers hommes étaient apparus** parce que l'Afrique avait été coupée en deux sur six mille kilomètres il y a quelque 15 millions d'années.

Suite à des bouleversements climatiques,
liés à des cataclysmes géologiques et à des changements
d'environnement, les ancêtres communs aux singes
et aux hommes eurent des existences différentes suivant
le côté de la faille où ils se trouvaient. Ceux qui étaient
à l'ouest de la grande vallée du rift, dans la forêt,
disposaient de fruits à gogo. Ils continuèrent
donc à vivre dans les arbres, comme avant,
et sont devenus des grands singes modernes.
Mais à l'est, le climat changea et les arbres cédèrent la place
progressivement à des herbes et à des broussailles.

Quelque part dans l'est de l'Afrique,
le climat sec oblige nos ancêtres à changer de régime.
Ils mangent des fruits plus durs, se font les dents
et ajoutent probablement de la viande à leur menu.

Mais ce n'est pas parce que notre grand-tante Lucy vivait en Éthiopie que nous sommes tous originaires de l'est de l'Afrique. On n'a sûrement pas assez cherché nos racines à l'ouest du rift, car il était plus facile de fouiller les terrains de l'est.

Lucy, marchait la tête haute sous le beau soleil d'Éthiopie, mais depuis la découverte en 2001 du *Sahelanthrope* baptisé « Toumaï » au Tchad, à l'ouest du rift, toute notre histoire de famille a été bouleversée.

Que nos ancêtres direct sont nés là-bas, à l'est du rift, rien n'est moins sûr ! En 2014, une paléontologue a trouvé au milieu d'un tas de fossiles ramenés du Congo une molaire humaine ayant peut-être appartenu à un individu de plus de deux millions d'années qui vivait à l'ouest du rift, en bordure de la jungle. Affaire à suivre.

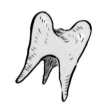

Lucy avait les deux pieds sur terre, mais **là où ses semblables ont fait leurs premiers pas,** nos ancêtres à nous n'y étaient peut-être pas. Nous ne sommes pas de la même branche, même si les nôtres ont continué dans un premier temps à grimper aux arbres pour manger, dormir et se protéger des prédateurs. On découvre des fossiles dans l'Ancien Monde, autrement dit en Afrique, en Europe, en Asie. La super famille des « hominoïdes » qui regroupe les grands singes et les hommes, a vécu en France, en Allemagne, en Italie, en Espagne, en Inde, en Chine... Il y a des millions d'années, les tropiques se trouvaient plus au nord et il faisait plus chaud dans nos pays. La faune a migré et elle a fait des petits un peu partout. On a assisté à une explosion de naissances..

Alors où l'homme est-il né ?

Les paléontologues n'arrivent pas à se mettre d'accord. Certains pensent que nous avons évolué dans plein d'endroits, d'autres assurent que nous sommes tous issus du même foyer africain. Le plus difficile est de différencier un homme d'un singe à partir d'un squelette ou de dents. Quand on découvre des petites canines, on ne sait pas toujours si on a affaire à un vieil ancêtre de l'homme ou à un ancien grand singe femelle. Pour éviter les confusions, il faudrait davantage étudier l'évolution de nos cousins. Nous avons un tronc commun avec eux, mais à quel endroit les branches se sont-elles divisées ?

La question est à nouveau posée, mais on manque de crânes et de dents pour trancher. Si on veut mieux connaître l'évolution de l'homme, on doit aussi chercher des fossiles de vieux singes qui ne ressemblaient pas à nos chimpanzés, gorilles et orangs-outans actuels... On ne sait pas encore comment ils étaient avant d'avoir la tête qu'ils ont maintenant, ni ce qui les distinguait vraiment de nos anciens.

,

Brigitte Senut

Quand la calotte de glace s'est mise en place au pôle Nord, le climat chaud est redescendu vers le sud et la super famille des hominoïdes est rentrée en Afrique, sauf les cousins asiatiques qui sont restés sur place et sont devenus orangs-outans. On trouve des ossements tout au long de la vallée du rift parce que c'était peut-être un long couloir de passage mais surtout parce qu'au moment de l'ouverture de la faille, tout a été mis sens dessus dessous et à cause du basculement des terrains, des niveaux très anciens sont remontés en surface. En Afrique du Sud et en Namibie, on a découvert des vieux fossiles dont on n'a pas trouvé les descendants jusqu'à présent. Où l'homme et les grands singes se sont-ils séparés ? Peut-être au fond de la Méditerranée qui a avalé des terres, ou alors sur une île. On ne sait pas ce qu'il s'est passé en Mauritanie, en Arabie, dans le sud de la Grèce. On ignore si la rupture a eu lieu dans un endroit précis ou dans une zone plus vaste avec des évolutions locales. Peut-être que le divorce a été consommé dans une région comprise entre le sud de l'Europe, une grande partie de l'Afrique et l'Asie occidentale. Nos plus anciens ancêtres sont plus vieux que l'on ne croyait. Ils ont entre 8 et 10 millions d'années et ne sont pas nés dans la savane. Que s'est-il passé en Afrique de l'Ouest ou du Nord ? Où sont passés les ancêtres de nos cousins grands singes ?

Chapitre 3

Aïe aïe aïe, pas facile de descendre des arbres !

comment avons-nous quitté les arbres à petits pas ?

Avons-nous changé à cause du climat ?

Dans quel environnement avons-nous évolué

Pour devenir des vrais hommes comme pépé !

L'Afrique a énormément bougé,

Les végétations ont aussi changé.

Quelle influence le milieu a-t-il joué ?

Nous sommes-nous hissés dans les herbes ?

Où avons-nous appris à utiliser les verbes ?

Autant de grandes questions

Qui n'ont pas encore de solutions...

Quand ?

Qui ?

Comment ?

comment avons-nous quitté les arbres à petits pas ?
Les ancêtres de notre branche ne sont pas descendus se dégourdir les jambes en marchant, sans réfléchir, sur un coup de tête. Ils sont restés longtemps attachés à leurs arbres, ils ont d'abord été arboricoles, comme on dit, tout en étant terrestres en partie.

Avons-nous changé à cause du climat ? Nos ancêtres
ont certainement migré avec la faune qui remontait vers le nord à cause du réchauffement. Ils cherchaient quelque chose à se mettre sous la dent et ils suivaient le mouvement. Les voyages les ont formés.

Dans quel environnement avons-nous évolué,

les ancêtres ont-ils commencé à changer de physique et de vie en forêt ? Grimpaient-ils sur des troncs droits ou obliques ? Qu'est-ce qui a changé en eux et dans leur comportement quand ils ont quitté progressivement la forêt ?

Pour devenir des vrais hommes comme pépé,

capable de raconter de belles histoires, nous avons fait un sacré bout de chemin... Il a fallu des milliers et des milliers d'années pour traverser les nombreux obstacles qui ont forgé nos caractères, marqué nos squelettes, limé nos dents et affiné notre langue.

L'Afrique a énormément bougé,

nous aussi. Auparavant, des endroits qui sont aujourd'hui en altitude se trouvaient beaucoup plus bas, et nos ancêtres ont vécu dans des paysages que l'on ne connaît pas toujours et que l'on a du mal à reconstituer.

Les végétations ont aussi changé, et on ne sait pas

ce que ces ancêtres ont bien pu manger pour devenir des hommes, des vrais. On peut connaître les plantes qui poussaient en ces temps reculés grâce aux fossiles de pollens, de fruits, de bois. Nos ancêtres étaient aussi entourés d'animaux. Si on trouve à côté d'eux beaucoup de restes de gazelles, on peut penser qu'ils vivaient dans la savane sèche. En revanche, s'ils sont découverts avec des fossiles de chevrotins d'eau, ils étaient plutôt dans un milieu humide, en forêt. On a donc une petite idée de l'environnement dans lequel ils ont évolué...

Quelle influence le milieu a-t-il joué ?

Il conditionne les modes de vie et les comportements,
mais on ignore encore jusqu'à quel point.

Nous sommes-nous hissés dans les herbes ?

Il est probable que l'homme est apparu dans un milieu mixte, forêt et prairie,
et qu'il a ajouté de la viande à son menu... Au début, il devait se contenter
de proies faciles puis il est devenu champion de la chasse et cette évolution
devrait se voir dans sa dentition et son squelette.

Où avons-nous appris à utiliser les verbes ?

On ne sait pas exactement quand est apparu le langage
tel que nous le pratiquons aujourd'hui, mais on sait
qu'il nous est venu assez tard. Pendant que nos cousins
développaient d'autres qualités extrêmement utiles
pour eux, nous avons acquis des capacités de réflexion
et d'élocution. Au fil du temps nous avons enrichi
notre vocabulaire et nous pouvons aujourd'hui construire
de belles phrases ! Quand et comment avons-nous appris
à bien articuler et à communiquer en prononçant des sons
détachés qui ont un sens précis et qui mis bout à bout,
avec des intonations variées de la voix, traduisent
nos pensées, nos sentiments, nos intentions ?
On ne peut pas le dire. Les uns parlent de 2 millions
d'années, d'autres d'à peine quelques centaines
de milliers d'années.

Aïe!!! Non mais ça va pas la tête !

Autant de grandes questions

que les paléontologues remettent sans arrêt sur le tapis et pour lesquelles ils n'ont pas de réponses claires. Ils ont des idées, mais manquent encore de données pour les confirmer.

Nos ancêtres posent des problèmes **qui n'ont pas encore de solutions,** parce qu'on n'a pas encore assez fouillé le sol et notre passé. Quand on aura plus de crânes, de dents et d'os de toutes les espèces et que l'on aura établi davantage de comparaisons avec les singes actuels, on en saura beaucoup plus.

Brigitte Senut

Pour comprendre le passé de l'homme, il faut bien comprendre les variations du climat, donc de la végétation. Pour connaître son évolution, il faut connaître l'évolution du paysage qui abritait la faune et la flore à leur époque. On doit non seulement s'intéresser davantage aux vieux singes mais aussi aux animaux associés, antilopes, girafes, éléphants de l'époque... Les fossiles pour lesquels on a beaucoup de restes ne constituent peut-être pas des échantillons représentatifs des populations qui ont vécu sur notre planète. Nous n'avons fouillé que 5 à 6% du territoire africain et de nombreux trous persistent dans notre histoire. Il faut chercher des terrains nouveaux, étudier la géologie, recommencer des fouilles, continuer les travaux sur les anciens grands singes et faire parler tous les fossiles. On ne peut pas se limiter à des comparaisons avec des hommes modernes ou des grands singes actuels. Notre ancêtre n'était pas terrestre, l'arbre était au centre de sa vie.

Aïe aïe aïe, pas facile de descendre des arbres !

CHAPITRE 4

Deux jambes, oui,
quatre pattes, non !

Le singe d'aujourd'hui n'est pas l'ancêtre de l'homme
Nous avons un « aïeul commun », comme on le nomme,
c'est de lui que tout est parti.
En s'éloignant petit à petit,
chacun son propre chemin a suivi.

Les grands singes passent la majorité du temps à quatre pattes,
Pendant que nous usons, aux quatre coins du monde,
nos savates.

Où avons-nous appris à avaler des kilomètres
à grandes enjambées ?

Comment sommes-nous arrivés à tenir longtemps
sur nos deux pieds ?

Quand avons-nous misé sur nos jambes pour nous déplacer ?
Les raisons de la « bipédie » restent encore à élucider.

Le singe d'aujourd'hui n'est pas l'ancêtre de l'homme,
nous sommes seulement cousins, ce qui explique que nous ayons
des petits airs de famille mais de grandes différences aussi,
car il y a bien longtemps que nous avons des rapports très lointains.

Nous avons un « aïeul commun »,
comme on le nomme, cet arrière-arrière-arrière-arrière,
arrière grand-parent dont on ne connaît ni la tête
ni les traits que nous avons hérités de lui.

C'est de lui que tout est parti,
mais il a eu des descendants qui ne lui ressemblaient plus tellement.
Les ancêtres des chimpanzés et des gorilles sont restés au pied
de leurs arbres et se sont accrochés aux branches. Les nôtres,
petit à petit, ont quitté les arbres, ils ont relevé la tête et,
sur leurs deux jambes du matin au soir, ils ont fait du chemin.
La super famille des hominoïdes s'est divisée et les différences
de positions ont façonné non seulement les bras, les jambes,
les squelettes, mais aussi notre odorat : debout, nous n'avions plus,
comme eux, le nez dirigé vers le sol, donc nous ne sentions plus
les mêmes choses..

Deux jambes, oui, quatre pattes, non !

En s'éloignant petit à petit, l'homme a grandi et grossi,
mais pas autant que le gorille. Ils font tous les deux à peu près
la même taille, mais les mâles de son espèce de grand singe pèsent
jusqu'à 275 kilos dans la nature. En captivité, s'ils sont bien nourris,
ils peuvent atteindre les 350 kilos. De toute manière, ce sont eux
les plus gros et les plus forts. Le chimpanzé, petit joueur, dépasse
rarement un mètre de hauteur et les 50 kilos.

chacun son propre chemin a suivi et ils sont devenus très différents, physiquement et mentalement.

Les grands singes passent la majorité du temps à quatre pattes, le plus souvent dans les arbres, et pour améliorer leurs déplacements au sol, les chimpanzés et gorilles ont développé le « *knuckle-walking* », ils marchent sur les articulations des doigts repliés de leurs mains , technique très efficace ! Le bras long, ils se hissent dans les branches et pratiquent la suspension à l'occasion, mais ils sont courts sur pattes avec un grand torse projeté en avant.

Pendant que nous usons, aux quatre coins du monde, nos savates, les grands singes n'ont pas bougé de leurs forêts. Ils sont restés proches des arbres, alors que nous partions à la conquête des cinq continents. Non contents d'avoir envahi toute la planète, nous scions aujourd'hui les branches sur lesquelles nos cousins sont assis et ils sont menacés de disparition...

Où avons-nous appris à avaler des kilomètres à grandes enjambées ?

Dans notre super famille, nous sommes les seuls à nous tenir droits comme des i et à pouvoir parcourir de très grandes distances uniquement sur nos pattes arrière. La meilleure façon de marcher, c'est encore la nôtre, c'est de mettre un pied devant l'autre et de recommencer, sans se casser le nez. À la longue, cette façon de marcher en équilibre sur deux jambes a transformé notre silhouette. Notre squelette est très différent de celui des chimpanzés actuels. Nous avons le bassin large et court, le leur est étroit et long. Nous avons les genoux rapprochés, les leurs sont écartés. Nous avons une voûte sous la plante des pieds, les leurs sont plus plats et inclinés sur le côté, avec le gros orteil qui s'oppose aux autres doigts, il peut tout attraper, comme le pouce des mains il est préhensible et les aide à s'agripper aux branches.

Comment sommes-nous arrivés à tenir longtemps sur nos deux pieds ?

Avons-nous commencé à marcher une fois que nous avons posé nos pieds à terre ou nous sommes-nous d'abord exercés dans les arbres, sur les grosses branches ? Est-ce parce que nous n'avions plus d'arbres pour nous accrocher que nous avons adopté cette manière de nous déplacer ? La tête haute pour surveiller le territoire par-dessus les hautes herbes ? Est-ce pour éviter les coups de soleil sur le dos que nous nous sommes levés ?

Deux jambes, oui, quatre pattes, non !

Quand avons-nous misé sur nos jambes pour nous déplacer ?

Nous sommes bipèdes comme pas deux. Nous avons adopté un mode unique de déplacement tandis que nos cousins alternent la marche à quatre pattes et la marche debout sur les pattes arrière, avec en plus la suspension. Quand nous sommes-nous décidés à nous servir de nos pieds et de la tête pour avancer ?

Les raisons de la « bipédie » restent encore à élucider.

Les paléontologues débattent de cette question qui en amène beaucoup d'autres. Ils se demandent par exemple si les Australopithèques du genre Lucy et ses copains, sont un passage obligé pour la marche à pied ou si chacun a appris à tenir sur ses jambes de son côté, sans se préoccuper ni descendre des autres. Ils se demandent aussi si on peut devenir un homme droit dans ses bottes sans avoir à un moment eu une petite tête, des grands bras et des jambes riquiquis.

Brigitte Senut

Des marques de pas qui remontent à 3,6 millions d'années ont été découvertes à Laetoli, en Tanzanie. Conservées dans les cendres d'un volcan, ces empreintes de pieds, une grande et une petite, sont celles d'un mâle et d'une femelle ou d'un adulte suivi par un enfant qui marche sur ses traces. Orrorin découvert par notre équipe est plus ancien encore. Il a 6 millions d'années et ses vieux os indiquent qu'il était bipède bien qu'il passât encore du temps dans les arbres. La longue marche se voit entre autres à l'allongement du fémur. La bipédie ne date donc pas d'hier, elle a été acquise petit à petit et elle est née dans un milieu boisé. Mais on ne sait pas combien de temps exactement les premiers hominidés tenaient sur leurs deux jambes, ni quand ce mode de locomotion terrestre a été adopté exclusivement.

CHAPITRE 5

Comment avons-nous attrapé la grosse tête ?

On est parti avec pas grand-chose dans le crâne.
Mais en marchant debout, avec ou sans canne,
Nous avons acquis une intelligence que n'ont pas les bêtes.
Au fil du temps, nous avons attrapé la grosse tête.
Est-ce parce que nous avons progressivement
                              changé d'alimentation

Que notre cerveau a pris du volume et des plis profonds ?
Est-ce parce que nous avions la tête sur les épaules
Que notre cerveau a commencé à jouer un grand rôle ?
La marche, ce que nous mangeons, l'environnement,
Sans aucun doute, ont contribué à son développement.
Mais pour quelle raison a-t-il grandi démesurément ?
Sa taille par rapport au reste du corps
Ne s'explique pas encore...

On est parti avec pas grand-chose dans le crâne.

Les premiers membres de notre famille avaient un pois chiche dans la tête... Nos deux plus vieux ancêtres avaient une toute petite tête, et le cerveau enfermé à l'intérieur était plus petit encore.
Ils devaient se débrouiller avec.

Mais en marchant debout, avec ou sans canne, nos ancêtres ont aussi fait marcher leur cerveau. Toute la journée sur leurs deux jambes, ils avaient les mains libres, mais les conditions de vie étaient très difficiles. Du matin au soir, ils ont dû travailler de la tête et de leurs dix doigts pour ramasser de quoi remplir leur ventre.

Nous avons acquis une intelligence que n'ont pas les bêtes, mais ce n'est pas une raison pour se surestimer. L'homme n'est pas le sommet de l'évolution, comme certains le disent à tort.

Au fil du temps nous avons attrapé la grosse tête, alors qu'au départ les bipèdes de notre famille en avaient une minuscule. Ils n'étaient pas très fortiches. Pour ne pas trébucher sur les obstacles qu'ils rencontraient, ils ont été obligés de trouver des astuces et sont devenus les champions de la réflexion pendant que les grands singes déployaient d'autres capacités. Chaque espèce a ses réussites et ses ratés.

Est-ce parce que nous avons progressivement changé d'alimentation

et que nous avons commencé à manger de la viande que notre cerveau s'est développé ? Debout à l'aube de l'humanité, les premiers chasseurs voient venir de loin le gibier et doivent trouver des astuces pour l'attraper. La tête haute, ils peuvent rapporter des festins au foyer et lorsqu'ils inventent le feu ils font griller leurs steaks.

Que notre cerveau a pris du volume et des plis profonds ?

Il s'est plissé au cours des années pour pouvoir rentrer dans sa boîte en os qui grandissait moins vite que lui. À sa surface se sont formés des creux et des bosses, des sillons et des « circonvolutions », c'est leur vrai nom. Chez nous ces structures sont plus développées et profondes que chez les grands singes.

Est-ce parce que nous avions la tête sur les épaules

que notre cerveau a pris du volume ? Sur deux jambes, on avance moins vite que sur quatre, mais on peut courir plus longtemps et plus loin. Mais, lorsque la nourriture devient plus rare, il ne suffit pas de se bouger, il faut faire aussi travailler ses méninges...

Que notre cerveau a commencé à jouer un grand rôle ?

On voit que le développement du cerveau et la marche sont associés, mais on est bien incapable de dire qui a précédé l'autre... On ne sait pas si c'est le fait d'être debout qui a permis de remplir davantage les crânes ou si c'est parce que nos ancêtres en avaient dans la cervelle qu'ils ont utilisé leurs pieds.

La marche, ce que nous mangeons, l'environnement, ont eu une grande influence sur nos cerveaux. Mais ils ont grandi peut-être aussi pour d'autres raisons qu'on ne connaît pas encore..

Sans aucun doute ont contribué à son développement plus de causes que l'on ne suppose. La baleine bleue a un énorme cerveau de six cent quatre-vingt-dix kilos mais elle-même pèse des tonnes. Nous, en comparaison, avec notre cerveau d'un kilo et demi, on pourrait paraître un peu « rétrécis de la cervelle ». Pourtant c'est faux, notre cerveau est cinq fois plus gros que le sien si on compare à la taille de chacun.

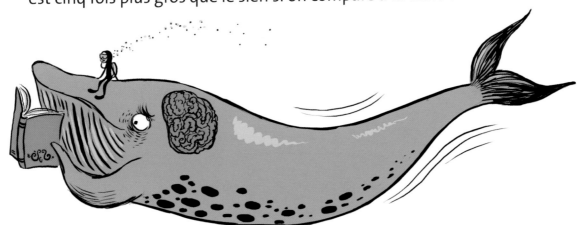

Mais pour quelle raison a-t-il grandi démesurément ? On a bien quelques idées, mais on ne sait pas encore précisément pourquoi le cerveau a pris de telles proportions au cours de l'évolution !

Sa taille par rapport au reste du corps est impressionnante. Notre cerveau a la même structure que celui des autres mammifères, il est divisé en deux hémisphères, des parties qui ne sont pas identiques mais symétriques et reliées entre elles.

Le cerveau humain **ne s'explique pas encore.**
Il est grand et compliqué. Composé de mille milliards
de neurones, il nous permet de raisonner et de parler.
Sous le front, nous avons une bonne dose de matière grise,
et deux lobes à l'avant qui interviennent plus spécialement
dans nos mouvements volontaires, nos plans
et notre langage. On ignore comment on a hérité
d'un organe de la pensée aussi raffiné...

À l'origine nous avions une petite
capacité crânienne. Les conditions
dans lesquelles notre cerveau
a grandi n'ont pas encore été
entièrement établies. Les capucins, des singes d'Amérique
du Sud, ont eux aussi une grosse tête par rapport au corps
et ils sont très habiles de leurs mains. Ces petits primates
à queue ont un cerveau bien constitué et vivent dans
des groupes organisés, partagent la nourriture, prêtent
beaucoup d'attention à leurs petits. Ils sont depuis
longtemps réputés pour leur grande intelligence et utilisent
des outils. Des expériences récentes ont montré qu'ils ont
un grand sens de la justice, et si, pour la même tâche,
un individu est moins récompensé qu'un autre, il montre
immédiatement des signes de mécontentement...

chez beaucoup de mammifères,
Les femelles et les mâles diffèrent.
Elles sont plus petites, eux plus costauds,
Ce qui se voit facilement dans les os.
Mais entre les hommes et les femmes c'est moins net.
Les différences sont à peine visibles dans les squelettes.
Mais à partir de fossiles humains incomplets,
Les paléontologues se sont fait des idées...
Ils ont attribué aux ancêtres des deux sexes des rôles,
L'homme préhistorique portait de lourdes charges sur ses épaules
Pendant que la femme s'occupait des enfants,
En faisant la cueillette de temps en temps.
Mais on est allé trop loin dans les interprétations,
Aujourd'hui, ces idées sont remises en question.

chez beaucoup de mammifères,

les femelles, qui nourrissent au sein leurs petits, sont très discrètes
pour les protéger des méchants prédateurs alors que les mâles
ne cherchent qu'à bien se faire voir pour les avoir à leurs pieds.
Les cerfs ont des grands bois alors que les biches n'en ont pas.

Les éléphants ont des défenses plus impressionnantes que les éléphantes. Des exemples du même genre fourmillent dans la forêt.

Les femelles et les mâles diffèrent,

elles sont attirées par leurs attributs et ne se laissent souvent approcher que par ceux qui se battent pour elles... C'est la loi de la jungle, elles choisissent les plus forts. La lionne rugit devant la belle crinière du lion ; elle, n'en a pas.

Elles sont plus petites, eux plus costauds,

et c'est vrai aussi pour les ourses, encore plus vrai pour monsieur putois qui pèse deux fois plus que madame. Chez les oiseaux, les mâles sont souvent plus beaux, ils ont un plumage très coloré qui fait beaucoup d'effet sur des femelles souvent ternes et passe-partout. Le pompon, c'est le paon qui fait la roue devant les femelles et déploie en éventail une queue de plumes chatoyantes. Chez les araignées, c'est tout l'inverse : la grosse femelle attire son mâle maigrichon sur la toile, lui en oublie de manger et parfois se fait dévorer une fois sa descendance assurée, il a donc intérêt à prendre ses pattes à son cou et à se carapater.

ce qui se voit facilement dans les os

des gros animaux, c'est combien mâles et femelles n'étaient pas pareils de leur vivant. Quand les différences ne sont plus noyées dans la graisse et les muscles, qu'ils n'ont plus de plumage ou de pelage pour masquer leurs défauts et faire les beaux, les inégalités entre les sexes se voient sur les squelettes. Chez les grands singes actuels, les écarts sont évidents : une femelle n'a pas la large ossature d'un mâle dominant.

Mais entre les hommes et les femmes c'est moins net :
les tailles et les crânes sont comparables. Ils ont toutefois des os plus robustes qu'elles au sein d'une même population.

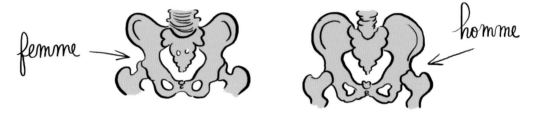

femme   homme

Les différences sont à peine visibles dans les squelettes.
La femme a en général le bassin plus large pour laisser passer les enfants.

Mais à partir de fossiles humains incomplets,
de petits bouts d'os éparpillés, il est difficile de savoir à qui on a affaire. Même Lucy, la petite Australopithèque présentée au monde entier comme une femelle, a été prise, à un moment, pour un garçon.

Les anthropologues se sont fait des idées.
Ils ont réécrit l'histoire de l'humanité en reconstituant la vie de nos ancêtres à partir des fragments d'os et en prenant exemple sur l'organisation de la société occidentale.

ILS ont attribué aux ancêtres des deux sexes des rôles. Les grands scientifiques, généralement des hommes, très sûrs d'eux, donnaient naturellement à leurs ancêtres hommes la meilleure place : celle du chef de famille. C'est lui qui ravitaillait le groupe, traçait la route, inventait les outils, peignait sur les parois des cavernes…

L'homme préhistorique portait de lourdes charges sur ses épaules, il partait tous les matins chasser du gibier et revenait avec des victuailles plein les bras.

Pendant que la femme s'occupait des enfants.
Comptant sur lui pour les nourrir, elle pouvait en élever plusieurs à la fois. Elle entretenait le foyer, veillant sur le feu que l'homme préhistorique avait fini par dompter, on ne sait pas encore exactement quand. L'entretien de la flamme était un véritable esclavage, sans parler des risques d'incendie, et c'est elle qui s'acquittait de cette tâche.

En faisant la cueillette de temps en temps,
la femme aurait apporté des compléments alimentaires.
Elle aurait servi des petits plats de baies et de fruits frais bourrés de vitamines à l'homme qui faisait bouillir la marmite et rapportait au foyer de la viande à griller.

Mais on est allé trop loin dans les interprétations, les paléontologues se demandent aujourd'hui si les chercheurs d'autrefois n'ont pas transposé le modèle de la famille moderne au couple préhistorique. À leur époque, les femmes ne travaillaient pas, elles s'occupaient des enfants et les hommes devaient rapporter de quoi manger à la maison.

Aujourd'hui, ces idées sont remises en question.

Les chercheurs d'os savent seulement que les conditions de vie dans les temps préhistoriques étaient plus dures et que les hommes et les femmes devaient probablement s'entraider. Ils ont d'abord ramassé les restes des animaux et ont dépecé de vieilles carcasses abandonnées par des carnivores. Ensuite, ils ont très bien pu chasser et faire la cueillette ensemble. La femme a eu des rôles multiples. La chasse ne rapportant pas toujours de gibier, elle aurait nourri de plantes et de fruits toute la famille mais aussi fabriqué des outils pour gratter les carcasses et les peaux de bêtes, casser des noix, perforer des os et des coquillages et s'en faire des colliers. Artiste de temps en temps, elle aurait laissé libre cours à son inspiration et on retrouve une patte féminine dans les peintures rupestres.

Brigitte Senut

Nous avions une vision des rapports entre l'homme et la femme de la préhistoire un peu caricaturale. Lui, excellent chasseur subvenait intégralement aux besoins des siens ; elle, complètement effacée, ne s'occupait que des enfants, leur cueillant à l'occasion des fruits dans les arbres pour le dessert. On avait collé des modèles de familles occidentales modernes sur nos ancêtres, faisant des femmes de bonnes ménagères, des hommes des rois de la chasse. Depuis une trentaine d'années, nous avons changé notre vision des choses : les rôles ont été redistribués en fonction de ce que nous avons trouvé, dans leur entourage et en étudiant leurs dents. Ils mangeaient peut-être des termites ou des fourmis, comme les grands singes, mais nous n'avons aucune trace. On ne peut pas voir sur l'émail ou dans l'usure de la dentition si les humains se délectaient de ces insectes qui fournissent des protéines animales à nos cousins. Toute une partie de leur vie nous échappe encore.

CHAPITRE 7

Des outils pour se faciliter la vie.

Avoir la grosse tête, c'est très humain.

Debout, nos ancêtres font les malins.

Marcher sur deux jambes libère les mains

Habiles mais pas encore précis,

Ils fabriquent des outils,

Ce qui leur facilite la vie.

Les plus anciens datent d'il y a longtemps,

On ne sait pas exactement de quand

Ni qui, ni quoi, ni comment...

On pensait être les seuls à en utiliser,

Une fois de plus on s'est fait des idées.

Avoir la grosse tête, c'est très humain, mais on ne l'a pas eue du jour au lendemain. Il a fallu des millions d'années pour remplir de matière grise nos crânes qui grandissaient à mesure que l'on avançait dans le temps.

Debout, nos ancêtres font les malins. Ils essaient de dompter la nature en se servant de leur tête et de leurs mains. Ils ne savent pas quoi inventer pour se défendre de tous les fauves et autres prédateurs qui veulent les dévorer.

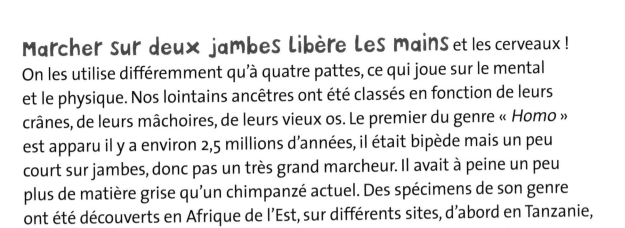

Marcher sur deux jambes libère les mains et les cerveaux ! On les utilise différemment qu'à quatre pattes, ce qui joue sur le mental et le physique. Nos lointains ancêtres ont été classés en fonction de leurs crânes, de leurs mâchoires, de leurs vieux os. Le premier du genre « *Homo* » est apparu il y a environ 2,5 millions d'années, il était bipède mais un peu court sur jambes, donc pas un très grand marcheur. Il avait à peine un peu plus de matière grise qu'un chimpanzé actuel. Des spécimens de son genre ont été découverts en Afrique de l'Est, sur différents sites, d'abord en Tanzanie, puis au Kenya, enfin en Éthiopie, mais aussi en Afrique du Sud. On les a baptisé « *Homo habilis* », ce qui veut dire « homme habile » en latin.

Habiles mais pas encore précis, les premiers du genre *Homo* taillaient des pierres sur une seule face pour obtenir un bord tranchant et utilisaient probablement aussi des éclats pour découper la viande. Leurs incisives développées, leurs canines réduites et l'usure de leurs molaires indiquent qu'ils en mangeaient à l'occasion : ils n'allaient pas chasser eux-mêmes, ils récupéraient de la chair sur les vieilles carcasses abandonnées...
Leurs contemporains, Australopithèques robustes ou Paranthropes à grandes dents, devaient faire de même. Les plus anciens outils datent de 2,8 millions d'années, et à l'époque, l'homme habile n'était probablement pas encore né. Ce n'était donc peut-être pas lui mais un de ses frères au cerveau peu développé qui se servit de l'outil le premier. Puis vinrent les *Homo rudolfensis*, *Homo erectus*, *Homo ergaster*, *Homo antecessor*, *Homo cepranensis*, *Homo neanderthalensis*, *Homo sapiens* qui développèrent et améliorèrent leurs outils.

Ils fabriquent des outils et utilisent l'énergie de leurs bras pour tailler ce qui leur tombe sous la main, galets et bouts de bois. On est encore au temps de la préhistoire, mais déjà ils trouvent les moyens de créer des objets qui leur permettent de vivre mieux.

Ce qui leur facilite la vie n'est pas très compliqué. Des outils tout bêtes peuvent rendre de fiers services dans la forêt. Les *Homo* de toutes les espèces veulent se défendre, découper, dépecer. Ils se font des lames, des racloirs, des grattoirs, des pieux et cassent des cailloux, rabotent du bois, perfectionnent leur petit artisanat et se confectionnent des bifaces avec tout le pourtour du galet coupant, des hachereaux avec une partie tranchante en biseau, ou encore des pointes ou des disques.

Les plus anciens datent d'il y a longtemps, ils étaient rudimentaires, puis les outils se compliquèrent pour répondre aux besoins qui augmentent avec le temps et deviennent presque illimités au XXIᵉ siècle. Aujourd'hui, nous n'utilisons plus uniquement la force de nos bras, nous avons inventé l'électricité pour faire fonctionner des machines à tout faire.

On ne sait pas exactement de quand date l'usage des outils. Longtemps, on a imaginé que c'est en devenant humain que l'on a eu l'idée de prolonger la main par des objets pour être plus efficace. Sauf qu'à une certaine époque plusieurs espèces d'ancêtres ont cohabité sur notre planète.

Ni qui, ni quoi, ni comment...

On ignore l'espèce de l'individu qui a été le premier à avoir assez d'astuce dans la tête pour ne plus tout faire à mains nues comme une brute, ni quel objet il a pris pour frapper, trancher, dépecer et quel mode d'emploi il a suivi.

On pensait être les seuls à en utiliser, des outils, et ça saute aux yeux que, dans notre genre, nous sommes très ingénieux. Non contents de fabriquer des scies électriques pour couper, des grues pour soulever, des marteaux-piqueurs pour creuser des trous, des robots pour exécuter les plus durs travaux, des avions pour voler, nous construisons aussi des ordinateurs puissants pour calculer, communiquer, gérer des stocks, traiter des milliards d'informations venues du bout du monde. Nous avons même bâti des vaisseaux spatiaux pour aller sur la Lune, explorer Mars, survoler les planètes géantes ou se poser comme *Philae* sur une petite comète de 4 kilomètres.

Une fois de plus on s'est fait des idées

sur notre compte. Même si nous construisons des outils très performants, comme aucune autre espèce ne l'a fait, nous ne sommes pas les seuls à nous en servir intelligemment. Les capucins comme nos cousins chimpanzés prennent des pierres pour casser des noix et c'est comme ça que devaient procéder nos lointains ancêtres à leurs débuts. Depuis nous avons accompli de sacrés progrès et les orangs-outangs initiés à nos côtés aux nouvelles technologies ont appris au zoo de Toronto à dessiner avec leurs doigts sur des tablettes électroniques sans abîmer l'écran.

Brigitte Senut

On croyait être les seuls à fabriquer des outils, mais on commence à en douter sérieusement. Le passage de l'animal à l'homme a été moins brutal qu'on ne l'imaginait. La rupture entre les singes et nous a été très progressive. Dans l'état actuel de nos connaissances, on pense qu'elle s'est produite il y a des millions d'années. La séparation définitive a eu lieu entre 13 millions et 6 millions d'années. Les processus qui ont conduit au divorce ne sont pas encore clairs. Nos mains sont devenues plus habiles, la saisie est devenue plus précise et nos outils se sont améliorés. Le langage, lui, apparaît lorsque dans le cerveau se forment des structures que l'on appelle les « aires de Broca et de Wernicke » qui sont impliquées dans le traitement et la compréhension de la parole. Mais il est difficile de dire en regardant les moulages réalisés à partir des crânes quand se sont produits ces changements liés à une vie dans des sociétés de plus en plus développées qui exigent des modes de communication sophistiqués.